Cuando me siento

Querido

Escrito e ilustrado por Trace Moroney

Cuando me siento querido,
es como si tuviera alas
y pudiera volar al cielo.

Cuando me siento querido
me siento protegido y seguro,
como envuelto en nubes de algodón.

Sentirme querido me hace sentir

ESPECIAL

Me siento querido cuando
un amigo me abraza
y me da las gracias
por ser un buen amigo,

o cuando mi perro me lame,

o cuando mi padre o mi madre
me da un beso de buenas noches
y me dice que me quiere.

Sentirme querido me hace sentir fuerte
así que cuando ocurre algo triste
me siento seguro e intento arreglarlo.

Cuando me siento querido,
me siento seguro de mí y contento.

Sentirme querido me enseña
a querer a los demás y a mí mismo.

El amor es muy fácil de compartir.

Me gusta sentirme querido.
¿Y a ti?

Nota para los padres

La autoestima es la clave

El mejor regalo que puedes dar a tu hijo es una autoestima sana. Los niños que se sienten valorados y que confían en sí mismos tienen una autoestima positiva. Puedes ayudar a tu hijo a sentirse valorado al pasar tu tiempo con él jugando, leyéndole libros o, simplemente, escuchándole. También puedes ayudar a tu hijo a sentirse valorado ayudándole a descubrir la persona que quiere ser. El éxito sigue a la gente que realmente sabe quién es.

De cualquier modo, la felicidad es mucho más que ser una persona exitosa. Ayuda a tu hijo a tener confianza en sí mismo para que sepa reaccionar ante los fallos, las pérdidas, la vergüenza…Vencer las dificultades es tan importante, –si no más– que ser una persona exitosa o ser el mejor. Cuando los niños confían en sí mismos para manejar sentimientos dolorosos como el miedo, la furia o la tristeza, ganan una seguridad interior que les ayuda a enfrentarse al mundo en el que viven.

Cada uno de estos libros sobre SENTIMIENTOS ha sido pensado cuidadosamente para ayudar a los niños a comprender mejor sus sentimientos ya que, al hacerlo, ganan una mayor autonomía (libertad) sobre sus vidas.

Hablar con los niños sobre sentimientos les enseña que es normal sentirse triste o enfadado o, a veces, tener miedo. Cuando los niños toleran mejor los sentimientos dolorosos se vuelven más libres para disfrutar de su mundo, para sentirse seguros de sus habilidades y ser felices.

Sentirse QUERIDO

Sentirse querido da al niños mucha seguridad y confianza. A veces los padres creen que el cariño se expresa con regalos cuando el niño se porta bien. Sin embargo, lo que el niño quiere es pasar mucho tiempo con sus padres. Las muestras de cariño cotidianas como una sonrisa, un abrazo o ser tranquilo y paciente con tu hijo son muy importantes para él. Con el ritmo de vida actual, es difícil dar a tu hijo el tiempo y la atención que necesita pero si se siente querido, tendrá una autoestima sana y esto le dará libertad para querer a otros, crear lazos y vivir sin miedos ni temores.

*A mi amiga especial Debra
y a la memoria de su madre, Anita.*

Título original: *When I'm feeling loved*
Primera edición: marzo de 2008
Dirección editorial: María Castillo
Coordinación editorial: Teresa Tellechea
Traducción del inglés: Teresa Tellechea
Publicado por primera vez en 2007 por The Five Mile Press Pty Ltd
950 Stud Road Rowville, Victoria 3178, Australia
© del texto y de las ilustraciones: Trace Moroney, 2007
© Ediciones SM, 2008 - Impresores, 15 - Urbanización Prado del Espino
28660 Boadilla del Monte (Madrid)

CENTRO INTEGRAL DE ATENCIÓN AL CLIENTE
Tel.: 902 12 13 23
Fax: 902 24 12 22
clientes@grupo-sm.com

ISBN: 978-84-675-2202-0
Impreso en China / Printed in China